まちごとチャイナ
天津 001

はじめての天津
渤海湾に続く「港町」
［モノクロノートブック版］

JN122291

北京へ通ずる運河、江南へ続く運河、渤海湾へ流れる海河が集まる地に開けた天津。元、明、清といった王朝の都が北京におかれたことから、この街はその港の役割を果たしてきた。天津という名前は明代、天子（皇帝）が渡った津というところからつけられている。

　ふたつのアヘン戦争をへて1860年に天津が開港されると、内陸と海へ通じる地の利から、イギリス、フランスを

はじめとする9つの国の租界が構えられ、西欧人が行き交う異国情緒漂う港町の性格を強めるようになった。

1949年に中華人民共和国が成立すると北京や上海とともに直轄市に指定され、現在では渤海湾、大連、青島、瀋陽などの渤海湾経済圏の中核となっている。歴史的な建築群が残る市街部のほか、天津新港を抱える浜海新区の開発が進み、天津エコシティなど先進的な試みもはじまっている。

Asia City Guide Production
Tianjin 001
Tianjin
天津／tiān jīn／ティエンジン

まちごとチャイナ｜天津 001

はじめての
天津

渤海湾に続く「港町」

「アジア城市（まち）案内」制作委員会
まちごとパブリッシング

Contents

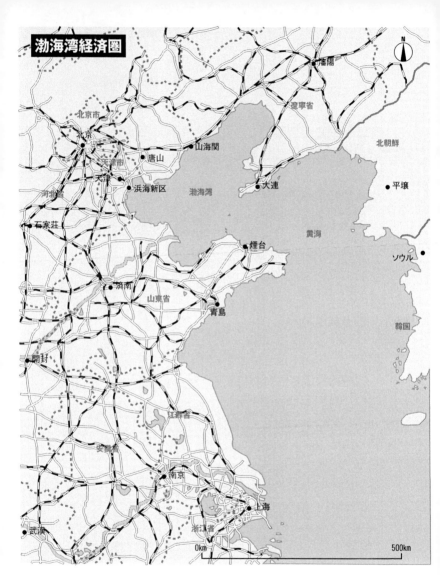

渤海湾経済圏

北京市
北京　　唐山　　山海関
天津市　　　　　　　　大連
天津
河北省　　浜海新区　　渤海湾
石家荘
　　　　　　　　　　　煙台
済南
山東省
青島
開封
江蘇省
安徽省
南京
武漢　　　　浙江省　　上海

瀋陽
遼寧省
北朝鮮
平壌
黄海
ソウル
韓国

N

0km　　　　　　　　500km

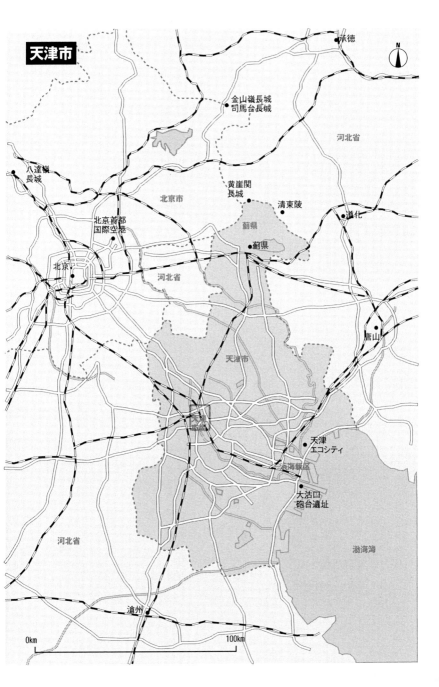

海河の流れる港町

北京から南東に位置し、渤海湾にのぞむ天津
海河が流れるほとりには欧風建築がならび
美しいたたずまいを見せている

四大直轄市

　天津は政治の都北京、経済の都上海、最大人口をもつ重慶とならぶ四大直轄市に指定される中国有数の大都市で、渤海湾にのぞむ港町として発展してきた(直轄という言葉は、国と市のあいだの行政組織がないということ。直轄市は国務院からの管轄を直接受け、その行政単位は省に相当する)。港町の性格から上海とともにいち早く近代工業がはじまった歴史をもち、渤海湾の油田、石炭など豊富な資源をもつ。首都北京への距離で高速鉄道でわずか30分で結ばれている。

天津の構成

　渤海湾に面し、黄河、海河、淮河による土砂の堆積がつくった華北平原の東に位置する天津(古く天津の地は海のなかだった)。天津新港(海港)が位置する浜海新区、運河が集まる天津市街、また歴史的遺構が点在する津北の薊県(燕山山脈の南麓)などからなる。運河が集まる三岔河口の南西に明代以来の県城がおかれ、その外側には湿地帯が広がっていたが、1860年以降、県城の南東に日本をふくむ西欧諸国の租界が構えられた。現在では市街地は放射状に広がり、とくに天津文化中心や梅江コンベンションセンターのある市街南部の

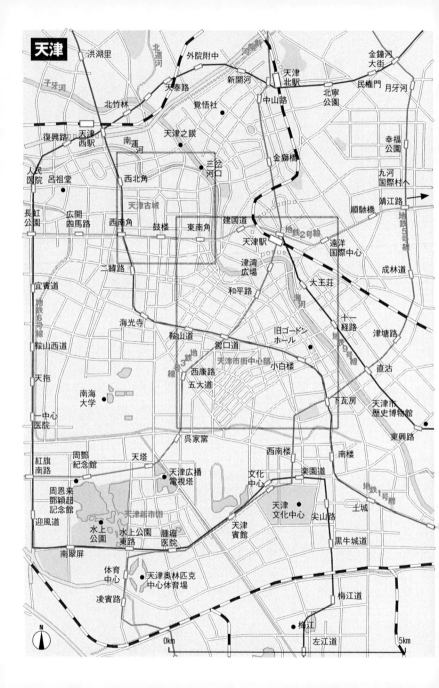

河西区や、ウォーターフロントの浜海新区の発展がめざましい。かつて tientsin とも表記されたが、現在は tianjin で統一されている。

中国文化をもたらした港町

　日本でも知られる天津甘栗、天津飯(天津丼)といった料理の名称は、近代以来、天津港を通して中国の文化や物産が入ってきたことにちなむ。秋から春にかけて得られる栗は華北の特産品で、一度、天津に集められてから輸出されてきた。日本では1920年以後、甘栗の原料として糖分を多く含む河北省、山東省の板栗を輸入したことで天津甘栗の名前が定着した(天津飯は天津のものではなく、日本の中華料理店で天津の米を使ったからとも、天津でとれるカニを使ったからとも言われる)。天津は上海に準ずる港で、明治維新以後の1875年に横浜との定期航路が開かれた上海に対して、共同運輸会社による不定期便があった(朝鮮半島から4日の距離だった)。天津甘栗のほかにも絨毯の天津段通、天津凧、天津包子などが知られ、近代、日本人が最初に出逢った中国の街は上海と天津だった。

★★☆
周恩来鄧穎超記念館／周恩来邓颖超记念馆 チョウエンライドンインチャオジネングァン

★☆☆
天津旧城／天津旧城 ティエンジンジウチャン
天津之眼／天津之眼 ティエンジンチィヤン
五大道／五大道 ウゥダァダオ
天津広播電視塔／天津广播电视塔 ティエンジングァンボォディエンシィタァ
水上公園／水上公园 シュイシャンゴンユェン
天津文化中心／天津文化中心 ティエンジンウェンファチョンシン

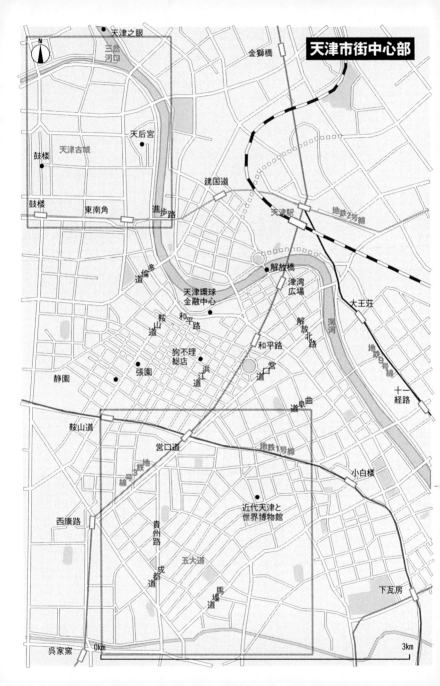

天津市街中心部

天津之眼
金獅橋
三岔河口
天后宮
天津古城
鼓楼
鼓楼
東南角　進歩路
建国道
天津駅
地鉄2号線
解放橋
津湾広場
大王荘
地鉄3号線
多倫道
天津環球金融中心
和平路
鞍山道
狗不理総店
浜江道
解放北路
海河
和平路
営口道
静園
張園
十一経路
曲道
鞍山道
営口道
地鉄1号線
地鉄3号線
小白楼
西康路
貴州路
成都道
近代天津と世界博物館
五大道
馬場道
下瓦房
呉家窯
0km
3km

★★★
解放橋／解放桥 ジエファンチャオ
解放北路／解放北路 ジエファンベイルゥ

★★☆
狗不理／狗不理 ゴウブゥリイ
静園／静园 ジンユゥエン

★☆☆
天津環球金融中心／天津环球金融中心 ティエンジンファンチュゥジンロンチョンシン
張園／张园 チャァンユゥエン
天津旧城／天津旧城 ティエンジンジウチャン
天后宮／天后宫 ティエンホウゴン
天津之眼／天津之眼 ティエンジンチィヤン

近代以降、西欧列強が首都北京の喉元にあたるこの地をおさえた

天津は渤海を通じて日本とも結ばれた港町

深圳、上海浦東に続く発展を見せる天津

市街中心部は租界時代の建物で彩られている

Tian Jin City
天津市街城市案内

海河の岸辺に広がる租界と呼ばれたエリア
近代、ここに拠点を構えた西欧諸国はこぞって
石づくりの建物を建設し、美しい景観ができあがった

解放橋／解放桥★★★
jiě fàng qiáo
かいほうきょう／ジエファンチャオ

　海河にかかる長さ98mの解放橋は、天津を代表する建造物のひとつで、鉄骨を剥きだしにした姿をもつ。1903年にはじめて架けられ、各国租界を結んだことから万国橋の名前で呼ばれていた（現在のものは1927年に建設された）。

河港と海港

　港町として知られる天津は、渤海湾から70kmさかのぼった内陸に位置し、歴史的には海河を使った河港が機能していた。海河は幅がせまく、河床が浅いところから大型船は遡行できず、そのため1949年の中華人民共和国成立後、渤海湾にのぞむ天津新港（海港）が整備された。海河は冬には凍り、スケートや釣りを楽しむ人々の姿が見える。

解放北路／解放北路★★★
jiě fàng běi lù
かいほうほくろ／ジエファンベイルゥ

　海河に沿って走る解放北路は、フランス租界とイギリス租界がおかれていた地区を走り、銀行などの金融機関や行

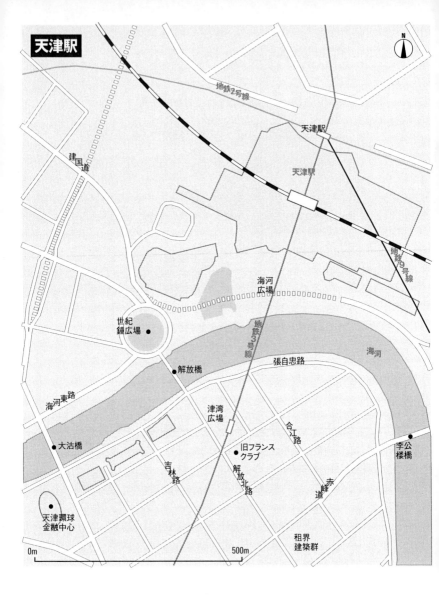

天津駅

N

地鉄2号線

天津駅

天津駅

地鉄9号線

建国道

海河広場

世紀鐘広場

地鉄3号線

海河

解放橋

張自忠路

海河東路

津湾広場

合江路

大沽橋

旧フランスクラブ

吉林路

解放北路

李公楼橋

赤峰道

天津環球金融中心

租界建築群

0m　　　　　　　　　　500m

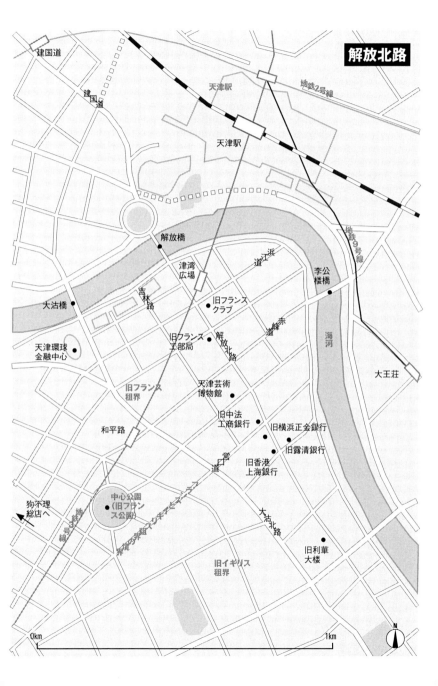

解放北路

建国道

建国道

天津駅

地鉄2号線

天津駅

地鉄9号線

解放橋

浜江道

津湾広場

李公楼橋

吉林路

大沽橋

旧フランスクラブ

赤峰道

天津環球金融中心

旧フランス工部局

解放北路

旧フランス租界

天津芸術博物館

和平路

旧中法工商銀行

旧横浜正金銀行

旧露清銀行

営口道

旧香港上海銀行

狗不理総店へ

中心公園（旧フランス公園）

大沽北路

旧イギリス租界

旧利華大楼

海河

大王荘

0km   1km

N

政機関がおかれた租界の心臓部にあたった。アロー号事件（第二次アヘン戦争）で清朝が敗れると、1860年に北京条約が結ばれ、天津に西欧の租界がおかれるようになった。天津にはイギリス、フランス、アメリカ、ドイツ、日本、ロシア、オーストリア、イタリア、ベルギーといった9か国の租界がおかれたが、各国ごとに特徴ある建築が今でも残っている（フランス租界にはパリの街区を思わせる中心公園、イギリス租界にはヴィクトリア様式の建物が残る）。この西欧の租界を通して中国でも、電気、水道の整備など近代化が見られるようになった。

天津環球金融中心／天津环球金融中心 ★☆☆
tiān jīn huán qiú jīn róng zhōng xīn
てんしんかんきゅうきんゆうちゅうしん／ティエンジンファンチュウジンロンチョンシン

　天津市街でも一際目立つ高さ336.9mの天津環球金融中心。地上75階建てのビルには、オフィスやショッピング・モールが入居している。

狗不理／狗不理 ★★☆
gǒu bù lǐ
ごうぶり／ゴウブゥリイ

　狗不理は天津名物の包子を出す老舗で、19世紀の清朝以来の伝統をもつ。狗不理（「犬も食わない」）という名前は、商売が繁盛したゆえに客への気配りができなくなったことから人々にこう呼ばれたのがはじまりだという。

★★★
解放橋／解放桥 ジエファンチャオ
解放北路／解放北路 ジエファンベイルゥ

★☆☆
天津環球金融中心／天津环球金融中心 ティエンジンファンチュウジンロンチョンシン

天津の象徴でもある解放橋

解放北路のイギリス租界、重厚感ある建物がならぶ

天津駅から解放橋を渡ると旧フランス租界に着く

天津名物の狗不理本店の店構え

ラストエンペラー溥儀が亡命生活を送った静園

歩行者天国となっている、浜江道にて

狗不理、十八街麻花、耳朵眼炸糕は天津三絶

明清時代の建物が再現された古文化街

天津古城

清真大寺

西北角

北馬路

望海楼
教堂

玉皇閣

古文化街

天后宮

天津老城
博物館

鼓楼

文廟

天津古城

天津戯劇
博物館

地鉄1号線

南馬路

東馬路

海河

地鉄2号線

鼓楼

東南角

西南角

南門外大街

北安橋

南市

和平路

二緯路

新華路

福安大街

多倫道

0km

1km

静園

N

古文化街

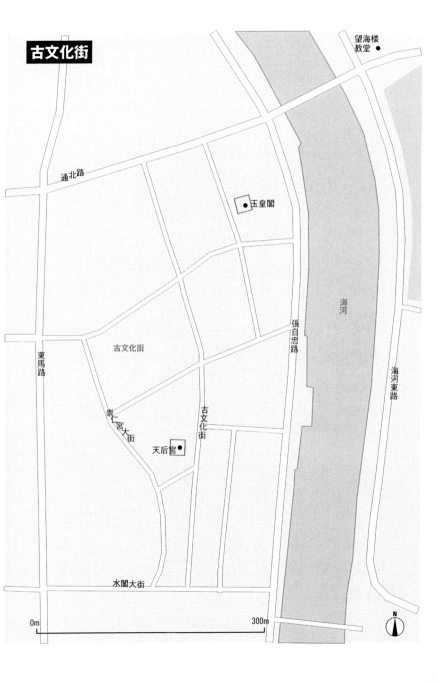

望海楼
教堂 ●

通北路

● 玉皇閣

海河

張自忠路

東馬路

古文化街

海河東路

崇仁宮大街

古文化街

天后宮 ●

水閣大街

0m　　　　　　　　　　　300m

N

張園／张园 ★☆☆
zhāng yuán
ちょうえん／チァァンユゥエン

張園はかつての日本租界がおかれた場所に立ち、清朝滅亡後の1925年、紫禁城から逃れてきたラストエンペラー愛新覚羅溥儀がここで亡命生活を送った（文繍と婉容とふたりの夫人と清朝以来の家臣もいた）。やがて近くの静園へ移ることになった。

静園／静园 ★★☆
jìng yuán
せいえん／ジンユゥエン

1929～31年に清朝のラストエンペラー愛新覚羅溥儀が過ごした静園。2階建ての洋館には溥儀や溥儀にまつわる展示が見られる。静園という名前は「変化を静観し、静かに（再び皇帝になるための）時期を待つ」という意味から名づけられ、1931年、ここから日本の土肥原賢二に連れられて満州へ渡り、やがて満洲国の皇帝に就いた。

天津旧城／天津旧城 ★☆☆
tiān jīn jiù chéng
てんしんきゅうじょう／ティエンジンジウチャン

江南の物資を北京へ運ぶ中継点として発展した天津。天津旧城は明代の1404年に建てられ、鼓楼や文廟など中国の伝統的な街並みと碁盤の目の街区を残している（かつて城壁で

★★☆
古文化街／古文化街 グゥウェンファジエ
望海楼教堂／望海楼教堂 ワンハイロゥジャオタン
静園／静园 ジンユゥエン

★☆☆
天津旧城／天津旧城 ティエンジンジウチャン
天后宮／天后宮 ティエンホウゴン

囲まれていた)。また鼓楼近くには天津戯劇博物館や天津老城博物館などが見られる。

古文化街／古文化街★★☆
gǔ wén huà jiē
こぶんかがい／グウウェンファジエ

　海河と天津旧城のあいだを南北に走る古文化街。このあたりは古くから天后宮の門前街があったところで、20世紀になってから明清時代の街並みが再現された。天津伝統の工芸品や文房四宝などを扱う店が続く。

天后宮／天后宮★☆☆
tiān hòu gōng
てんごうきゅう／ティエンホウゴン

　天后は船乗りの信仰を集める「海の守り神」で、天津の天后宮は元代の1326年に建てられた歴史をもつ。海河、南運河、北運河が集まるこのあたりは天津発祥の地でもあった(南北運河と海河が集まる三岔口から天津の歴史ははじまった)。

天津之眼／天津之眼★☆☆
tiān jīn zhī yǎn
てんしんのめ／ティエンジンチィヤン

　天津之眼は南北運河が集まり海河が交わる三岔口近くの永楽橋に立つ観覧車(天津という地名は、天子である永楽帝が渡った港という意味でつけられた)。110mの直径は世界有数の規模で、摩天輪の愛称で知られる。

望海楼教堂／望海楼教堂★★☆
wàng hǎi lóu jiào táng
ぼうかいろうきょうどう／ワンハイロゥジャオタン

　望海楼教堂は海河のほとりに立つ石づくりのキリスト教会。1869年に建てられ、その後、破壊と再建を繰り返してい

天津旧城はかつて城壁に囲まれていた

鼓楼で太鼓を打ち、人々にときを知らせていた

イギリス租界がおかれていた五大道

教会の美しいたたずまい

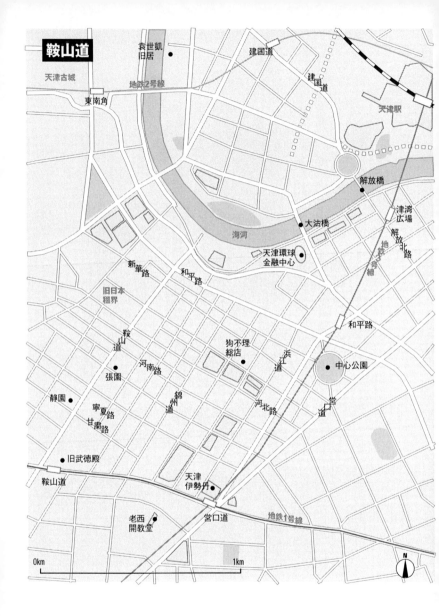

鞍山道

袁世凱
旧居

建国道

天津古城

地鉄2号線

建国道

東南角

天津駅

解放橋

津湾
広場

解放
北路

大沽橋

海河

天津環球
金融中心

新華路

和平路

旧日本
租界

和平路

鞍山道

狗不理
総店

浜江道

中心公園

河南路

張園

錦州道

河北路

営口道

静園

寧夏路

甘粛路

旧武徳殿

鞍山道

天津
伊勢丹

老西
開教堂

営口道

地鉄1号線

0km

1km

N

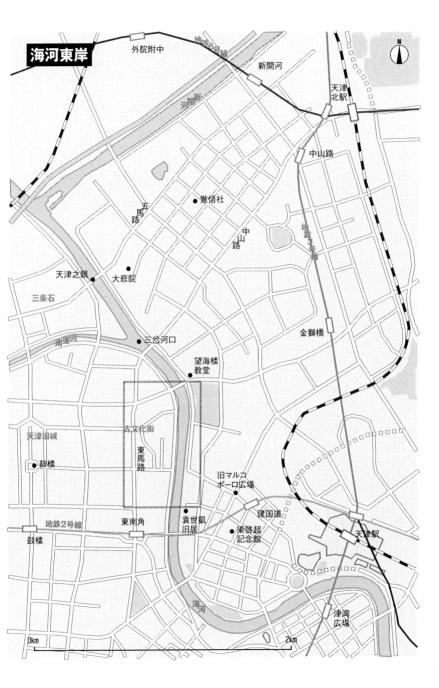

海河東岸

外院附中
新開河
天津北駅
中山路
新河

五馬路
覚悟社
中山路
地鉄3号線

天津之眼
大悲院
三条石
三岔河口
望海楼教堂
金獅橋

古文化街

天津旧城
東馬路
鼓楼

旧マルコ
ポーロ広場
建国道
地鉄2号線
東南角
袁世凱旧居
梁啓超記念館
天津駅
鼓楼

海河

津湾広場

0km   2km

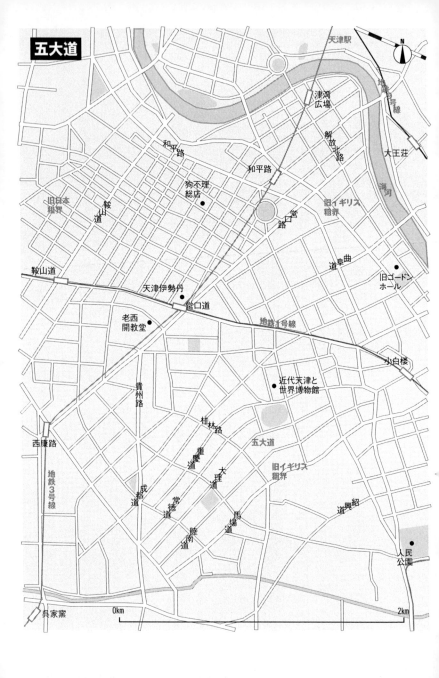

るが現在でも19世紀当時の姿を見せている。

五大道／五大道 ★☆☆
wǔ dà dào
ごだいどう／ウゥダァダオ

　旧イギリス租界にある五大道は、重慶道、常徳道、大理道、睦南道、馬場道の5つの通りが走ることから名づけられ、天津でもっとも美しい街並みが残っている。20世紀初頭に建てられた2000もの洋館が残り、「北京の四合院、天津の小洋楼」と呼ばれるほどだった。租界時代の建物を転用した近代天津と世界博物館では、当時の様子が写真で展示されている。

老西開教堂／老西开教堂 ★☆☆
lào xī kāi jiào táng
ろうせいかいきょうどう／ラオシーカイジャオタン

　高さ45mになる美しいたたずまいを残す老西開教堂。このあたりはフランス租界がおかれていた場所で、周囲に病院や学校を備えるキリスト教の不況拠点となっていた。大聖堂は1917年に創建された。

★★★
解放橋／解放桥 ジエファンチャオ
解放北路／解放北路 ジエファンベイルゥ
★★☆
狗不理／狗不理 ゴウプゥリイ
静園／静园 ジンユゥエン
★☆☆
五大道／五大道 ウゥダァダオ
老西開教堂／老西开教堂 ラオシーカイジャオタン
天津環球金融中心／天津环球金融中心 ティエンジンファンチュウジンロンチョンシン
張園／张园 チャァンユゥエン
天津旧城／天津旧城 ティエンジンジウチャン
天津之眼／天津之眼 ティエンジンチィヤン

天津広播電視塔／天津广播电视塔 ★☆☆
tiān jīn guǎng bō diàn shì tǎ
てんしんこうばんでんしとう／ティエンジングァンボォディエンシィタァ

　天津市街南部の天塔湖に立つ天津広播電視塔。415.2mの高さを誇り、250m地点にある展望台からは天津の街並みを見渡すことができる。

周恩来鄧穎超記念館／周恩来邓颖超记念馆 ★★☆
zhōu ēn lái dèng yǐng chāo jì niàn guǎn
しゅうおんらいとうえいちょうきねんかん／チョウエンライドンインチャオジィネングァン

　1949年の中華人民共和国建国以来、総理として国を指導してきた周恩来とその妻鄧穎超の展示が見られる周恩来鄧穎超記念館。天津は青年時代の周恩来が過ごした街で、ここで生涯の伴侶となる鄧穎超と出逢った(周恩来は南海学校出身)。周恩来は平和外交やアジア・アフリカ外交などで華々しい成果をあげて、そのそばには妻の鄧穎超の姿があった。ふたりは中国でも理想的な夫婦として知られ、多くの人々に慕われている。

水上公園／水上公园 ★☆☆
shuǐ shàng gōng yuán
すいじょうこうえん／シュイシャンゴンユェン

　水上公園は湿地を整備してつくられた公園で、天津市民の憩いの場となっている。湖のほとりには中国式の楼閣が立つほか、公園の南側に天津動物園が位置する。

天津文化中心／天津文化中心 ★☆☆
tiān jīn wén huà zhōng xīn
てんしんぶんかちゅうしん／ティエンジンウェンファチョンシン

　天津文化中心は、博物館、美術館、図書館、オペラハウスなどが集まる文化の発信拠点で広大な敷地をもつ。天津博物館新館、天津図書館といった建物自体も見応えがある。

天津のシンボルのひとつテレビ塔

周恩来は天津で育った、周恩来鄧穎超記念館

天津南部の新市街、ショッピングモールや大型施設が立つ

営口道近くに残る老西開教堂

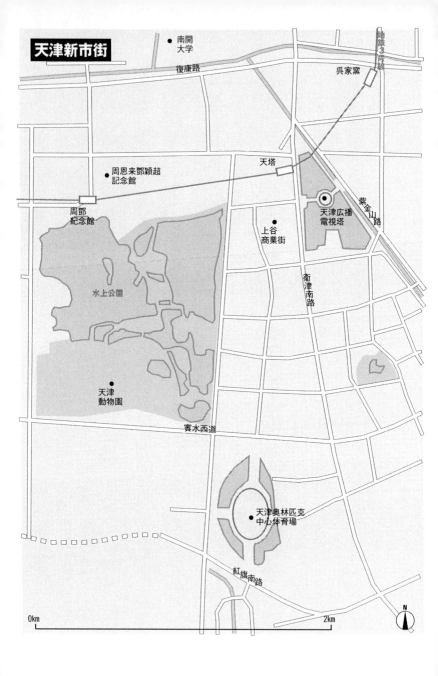

天津新市街

南開大学

復康路

呉家窯

地鉄3号線

天塔

周恩来鄧穎超
記念館

紫金山路

周鄧
紀念館

天津広播
電視塔

上谷
商業街

水上公園

衛津南路

天津
動物園

賓水西道

天津奥林匹克
中心体育場

紅旗南路

0km   2km

N

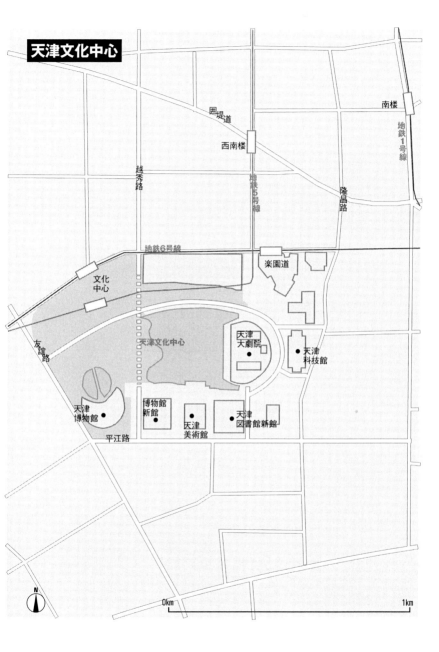

天津文化中心

囲堤道

南楼

西南楼

地鉄1号線

越秀路

地鉄5号線

隆昌路

地鉄6号線

文化中心

楽園道

友誼路

天津文化中心

天津大劇院

天津科技館

天津博物館

博物館新館

天津美術館

天津図書館新館

平江路

N

0km   1km

はじめての天津／渤海湾に続く「港町」

★★☆
周恩来鄧穎超記念館／周恩来邓颖超记念馆 チョウエンライドンインチャオジィネングァン
★☆☆
天津広播電視塔／天津广播电视塔 ティエンジングァンボォディエンシィタァ
水上公園／水上公園 シュイシャンゴンユェン
天津文化中心／天津文化中心 ティエンジンウェンファチョンシン

浜海新区城市案内

Bin Hai Xin Qu

渤海湾に面して広がる浜海新区
天津新港を抱えるこの地は
新たな経済発展の軸として発展を見せる

浜海新区／滨海新区 ★☆☆

bīn hǎi xīn qū

ひんかいしんく／ビンハイシンチュウ

深圳(珠江デルタ)、上海の浦東(長江デルタ)に続く中国第3の成長拠点として開発が進む天津浜海新区。天津市街の南東45kmに位置し、天津新港を備え、渤海湾経済圏の核として注目されている。海河に面して広がる海河外灘公園が市民の憩いの場となっているほか、研究、環境などさまざまな角度から新たな試みがなされている。

大沽口砲台遺址／大沽口炮台遺址 ★☆☆

dà gū kǒu pào tái yí zhǐ

たいここうほうだいいし／ダァグゥコウパオタイイィチィ

海河の河口部に残る大沽口砲台遺址は、北京を防衛するための要塞跡で、「津門の屏」と呼ばれていた。明代の嘉靖帝(16世紀)に建設され、清代に大砲がおかれてふたつのアヘン戦争では最前線となった。とくにアロー号事件(第二次アヘン戦争)では、イギリスやフランス艦からの砲撃を受け、1860年に占領された。大沽口砲台の陥落を受け、天津、そこから北京へと西欧諸国は軍を進め、やがて天津も開港することになった。

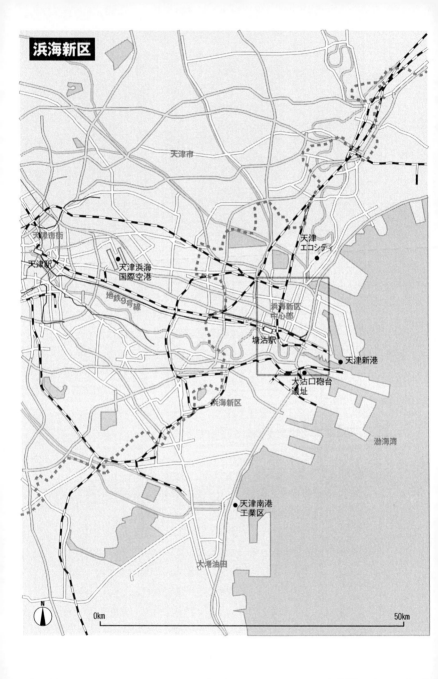

浜海新区

天津市

天津エコシティ

天津市街

天津駅

天津浜海
国際空港

地鉄9号線

浜海新区
中心部

塘沽駅

天津新港

大沽口砲台
遺址

浜海新区

渤海湾

天津南港
工業区

大港油田

N

0km   50km

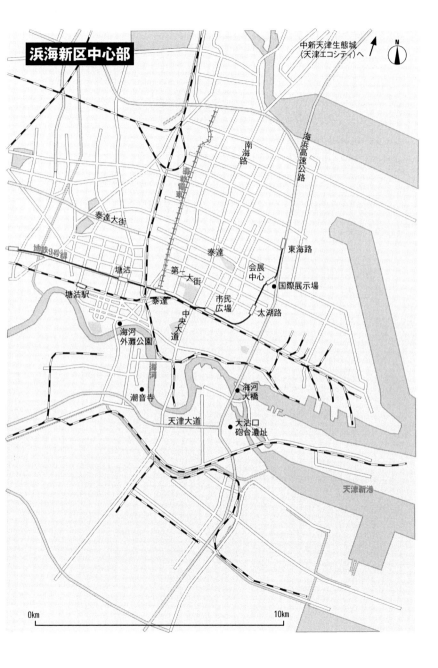

浜海新区中心部

中新天津生態城
（天津エコシティ）へ

N

海浜高速公路

南海路

泰達大街

東海路

地鉄9号線

塘沽

泰達

第一大街

会展中心

国際展示場

塘沽駅

泰達

市民広場

太湖路

中央大道

海河外灘公園

海河

潮音寺

海河大橋

大沽口砲台遺址

天津大道

天津新港

0km ————————————————— 10km

中新天津生態城（天津エコシティ）／中新天津生态城 ★☆☆

zhōng xīn tiān jīn shēng tài chéng

ちゅうしんてんしんせいたいじょう（てんしんえこしてぃ）／チョンシンティエンジンシェンタイチャン

　世界的に注目を集める環境都市の中新天津生態城（天津エコシティ）。中国とシンガポールの共同出資で開発が進められ、太陽光発電、風力発電などでエネルギーを得、二酸化炭素の排出量をおさえ、廃棄物を再利用するスマートシティが目指されている。

天津の気風

　13世紀の元代以来、江南へ続く運河と渤海湾へ続く海河、海と陸が交錯する天津は華北の物資の集散地となり、商人、行商、港湾労働者などでにぎわいを見せるようになった。南方と北方の物資が交錯するなかで、進取の気質にとむ港町の文化が育まれてきた。天津の略称は「津」と言い、北京（京派）は歴史ある都の文化、上海（海派）は先進的な貿易商人の文化、天津は埠頭で育まれた庶民文化（衛派文化）をもつとされる。

★☆☆

浜海新区／滨海新区　ビンハイシンチュウ
大沽口砲台遺址／大沽口炮台遗址　ダァグゥコウパオタイイィチィ

浜海新区の会展中心　海河を通じて北京にいたるこの地には軍事拠点がおかれていた

世界に先駆ける環境都市の天津エコシティ

アロー号事件で激戦の舞台となった大沽口砲台遺址

城市のうつりかわり

**明代、天子(永楽帝)が渡った津として
名づけられた天津
現在では四大直轄市のひとつとなっている**

宋代以前 (～13世紀)

　春秋戦国時代や漢代から天津近郊では製塩が盛んだったことが知られるが、街の歴史は7世紀、隋の煬帝が南北を結ぶ大運河を開削することではじまった。天津は南の運河と北の運河が交わる要衝となり、唐代「三会海口(三岔河口)」と称され、天津の性格はこのときにかたちづくられた。続く宋代に泥沽海口、金代に信安海などと呼ばれたが、以前、一漁村の様相を呈していた(北宋の時代、天津を流れる海河は宋と遼のあいだの境界となっていた)。

元代 (13～14世紀)

　唐代以後、華北の地は北方民族(遼、金)と南方民族(北宋、南宋)の争奪の場となってきたが、モンゴルのフビライ・ハンによって中国全土が統一され、元が樹立された。1260年、その都が農耕と遊牧文化の接点である北京におかれ、そこから通州へいたる運河が開削されると、北京への物資が集まる天津の地位があがることになった(南方の物資が運河とともに海上交通で運ばれるようになった)。1316年、天津は「海浜の津渡」という意味をとって海津鎮(また直沽)と呼ばれ、海上からの物資は天津で陸揚げされ、そこから小舟で北京へと運ばれて

天津旧城には歴史ある建物が残っている

海と陸が交わる天津、海河の恵みで育まれた

「北京の四合院、天津の小洋楼」街を彩る美しい欧風建築

周恩来は天津で青年時代を過ごした

いた。この時代、天津には物資運搬の警備のための砦がおかれていた。

明清代 (14〜19世紀)

　元に続いた明の都は当初南京にあったが、永楽帝によって北京に遷都された。1400年、この永楽帝が拠点のあった北京から天津で渡河して南下したのち、即位したことから「天子が渡った津」という天津の名前がつけられた(天津という呼称は1403年にはじめて登場する)。1404年、天津には海上交通で運ばれる食料や物資を警備するため、1万人の兵が配された軍営がおかれ、天津衛と呼ばれるようになった。商船が天津に到着すると、倉庫に陸揚げされるなど物資運搬の中継点となり、天津の地位は向上した。この時代の天津の県城(旧城)は、天后宮の西南側にあり、その東と北側の海河のほとりがにぎわいを見せていた。

清朝末期 (19〜20世紀)

　明清時代の天津には、都がおかれた北京へ通じる玄関口という性格があり、この時代、大航海時代をへた西欧諸国が北京へ使節を送るようになっていた(天津の県城や北運河東岸に外国商人や宣教師が暮らしていた)。1840年、アヘン戦争が起こると、天津近郊に軍艦を派遣したイギリスとの講和条約が結ばれ、また1856年に起こったアロー号事件(第二次アヘン戦争)では天津の街は西欧列強に占領された。1860年に北京条約が結ばれると、天津は開港し、中国の法律がおよばない西欧の租界がおかれるようになった(上海などにも租界がおかれた)。この租界は県城南東の海河沿いに広がり、天津には中国でも最大規模の9か国の租界があった。

近代（19〜20世紀）

　租界が構えられると、西欧の文化が流入し、天津でいち早く先進的な気風が育まれるようになった。1900年、西欧の侵略に反対する中国民衆による義和団事件が起こったが、八カ国連合軍に鎮圧され、翌年、天津県城の城壁はとり壊された。こうしたなか天津にその拠点を構えた直隷総督李鴻章のもと西欧化が進められ、西欧の制度を学び、軍が近代化された（天津は近代中国の舞台となり、清朝の廃帝愛新覚羅溥儀は、紫禁城から天津の日本租界へ亡命している）。20世紀初頭、天津の人口は急速に増加し、毎年3万人もの人口が流入したという。1931年に満洲国が建国されると天津は満洲国と華北を結ぶ要衝として注目され、鉄、機械、電力会社など日本の政府や企業による投資が進んだ。のちに総理大臣となる吉田茂は1922年から天津の総領事をつとめている。

現代（20〜21世紀）

　1949年、北京を首都におく中華人民共和国が成立すると、天津ではその外港で大型船舶が停泊できる天津新港が造営された。そして現在、天津は北京、上海、重慶とならぶ省級の権限をもつ直轄市に指定され、中国有数の都会に発展した（また天津は周恩来や温家宝などが青年時代を過ごした街としても知られる）。20世紀末から改革開放の波を受けて、南方の深圳や上海が経済発展を見せたが、2000年代に入ってから、北京や華北の広大な後背地をもつ天津が注目されるようになっている。天津市街から南東45kmにおかれている浜海新区は華北最大規模の港湾機能をもち、天津エコシティなどの環境に配慮した都市の試みとともに、大連や青島などで構成される渤海湾経済圏の核として期待されている。

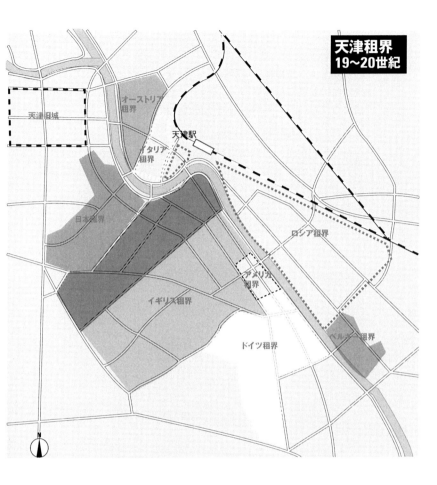

天津租界
19〜20世紀

天津日域

オーストリア
租界

天津駅

イタリア
租界

日本租界

ロシア租界

イギリス租界

アメリカ
租界

ベルギー租界

ドイツ租界

N

『天津史 再生する都市のトポロジー』(天津地域史研究会編/東方書店)

『全調査東アジア近代の都市と建築』(筑摩書房編/大成建設)

『天津スタイル』(Whenever天津/日本貿易振興機構北京センター)

『世界大百科事典』(平凡社)

[PDF]天津地下鉄路線図http://machigotopub.com/pdf/tianjinmetro.pdf

[PDF]天津空港案内http://machigotopub.com/pdf/tianjinairport.pdf

OpenStreetMap

(C)OpenStreetMap contributors

はじめての天津／渤海湾に続く「港町」

まちごとパブリッシングの旅行ガイド

Machigoto INDIA , Machigoto ASIA , Machigoto CHINA

マカオ-まちごとチャイナ

Juo-Mujin（電子書籍のみ）

自力旅游中国Tabisuru CHINA

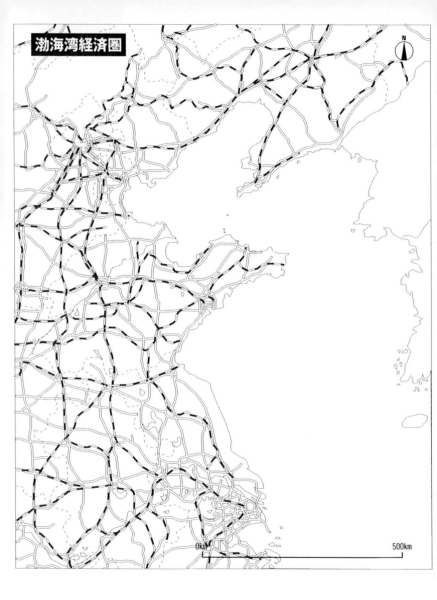

渤海湾経済圏

0km

500km

N

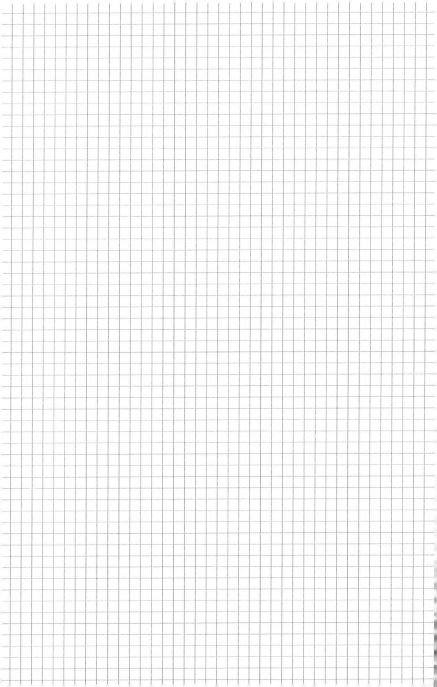

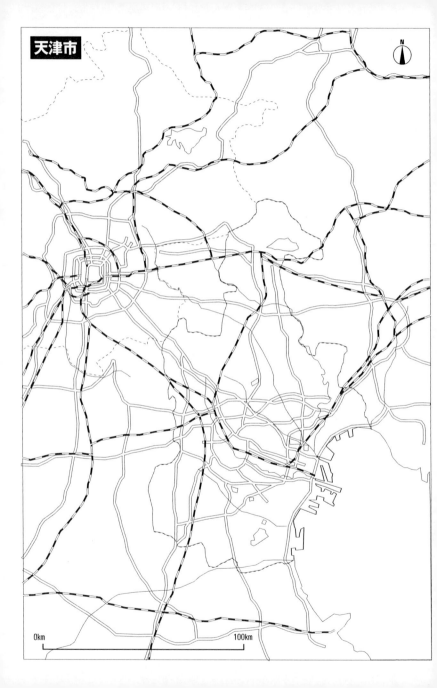

天津市

N

0km　　　　　　　100km

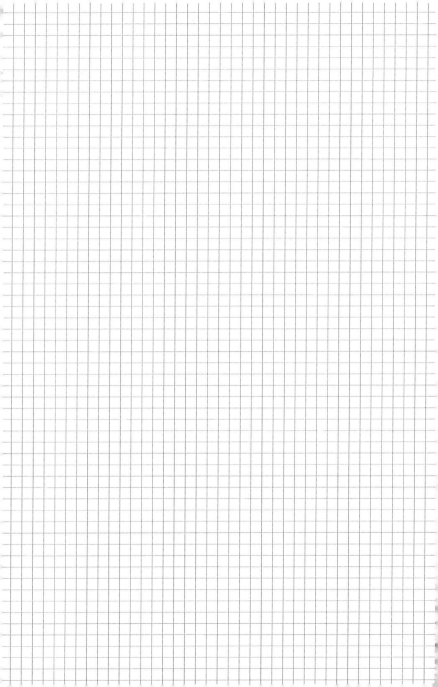

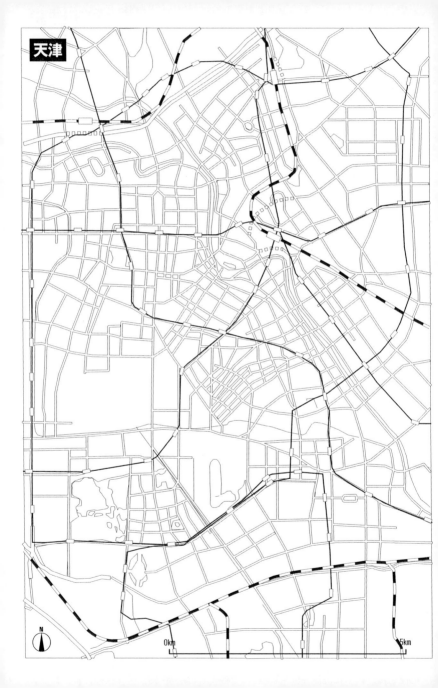

天津

0km 5km

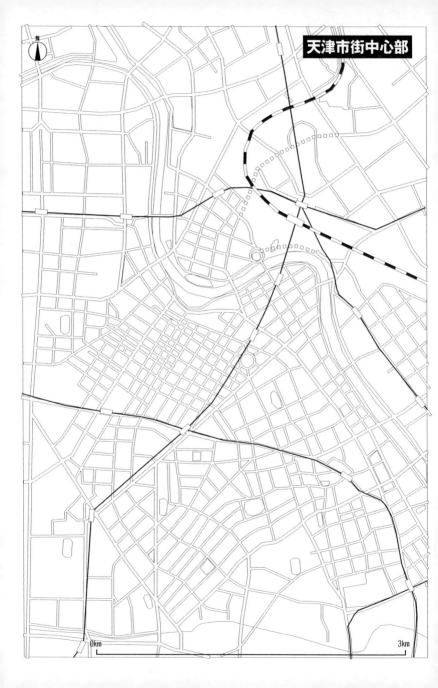

天津市街中心部

N

0km 3km

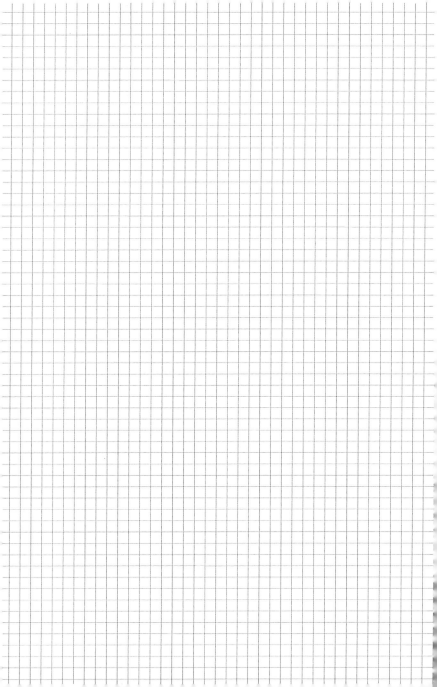

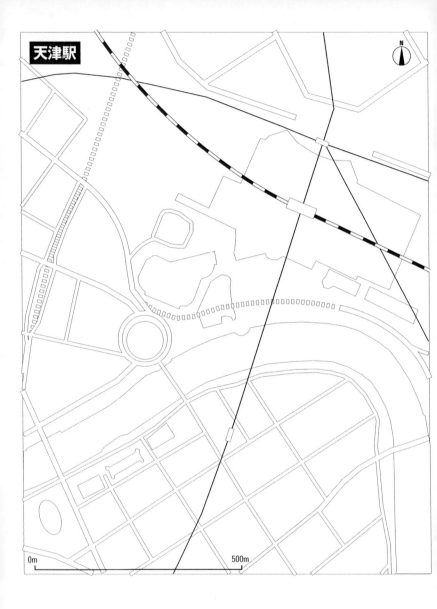

天津駅

N

0m　　　　　　　　　　　　500m

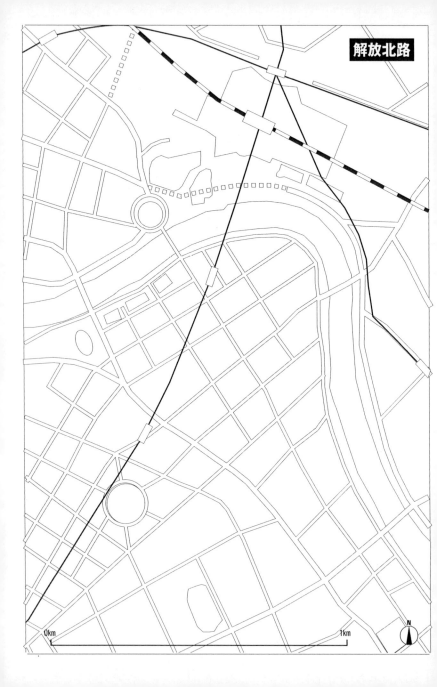

解放北路

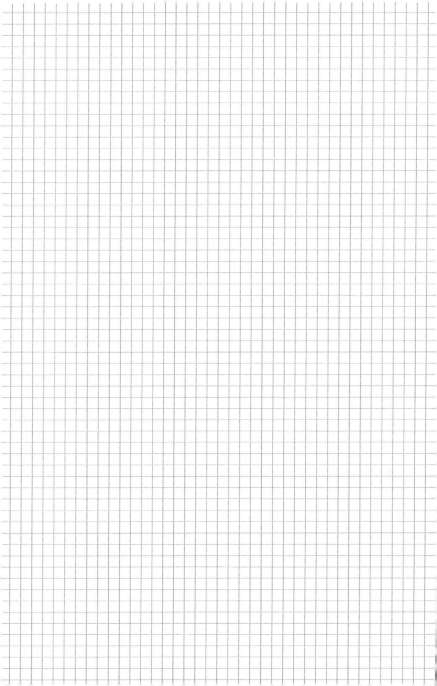

天津古城

0km　　　　　　　1km

N

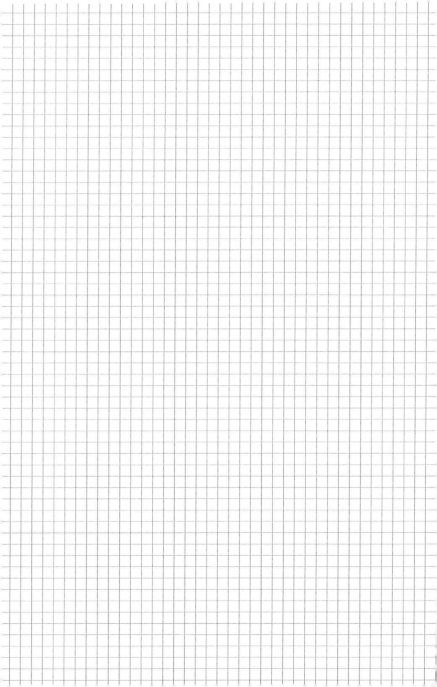

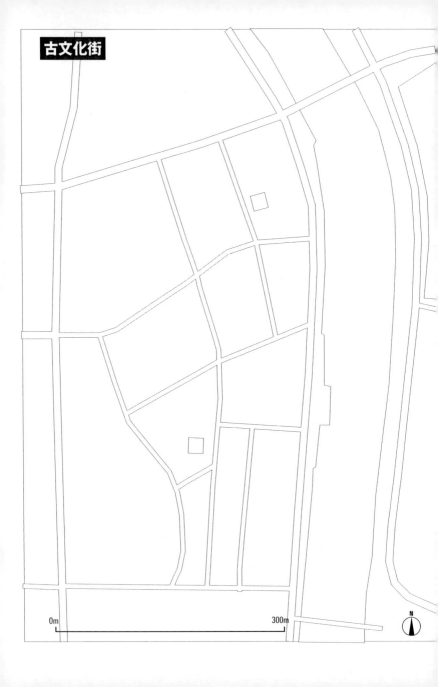

古文化街

0m   300m

N

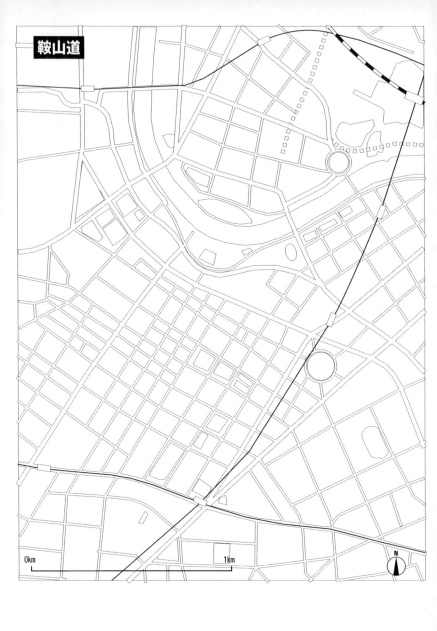

鞍山道

0km   1km

N

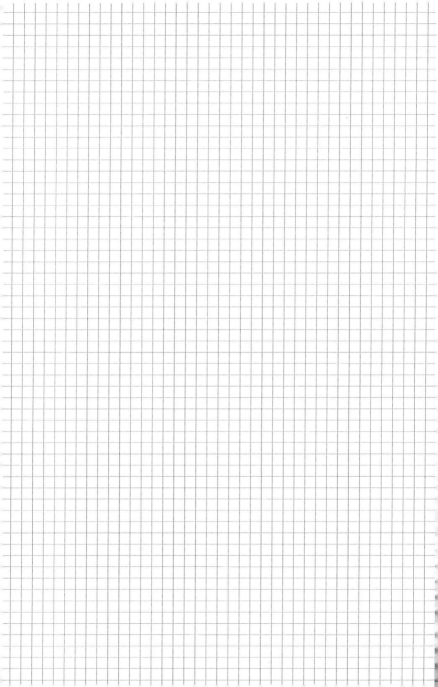

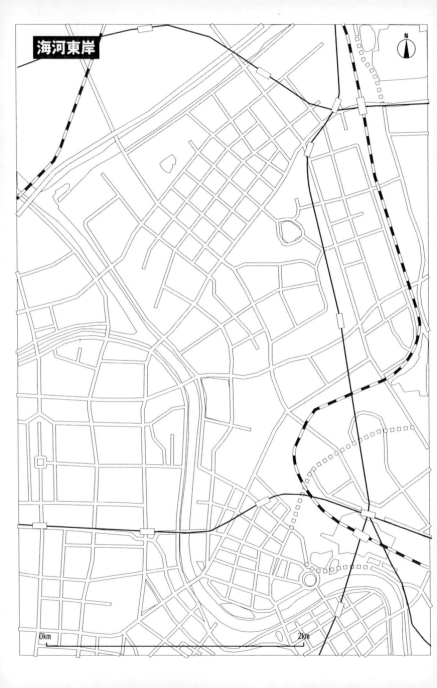

海河東岸

0km　　　　　　　　　　　　　　2km

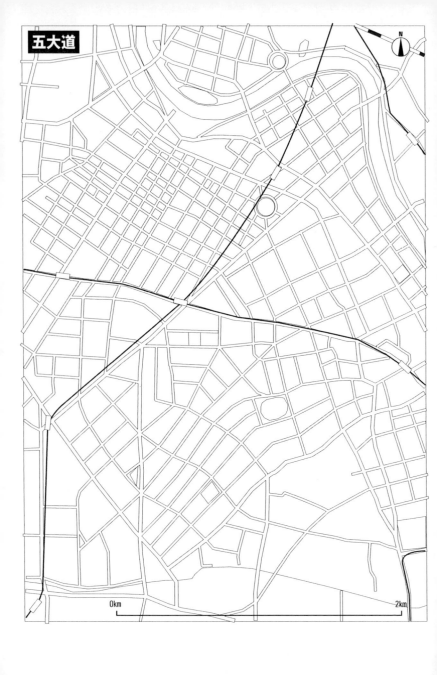

五大道

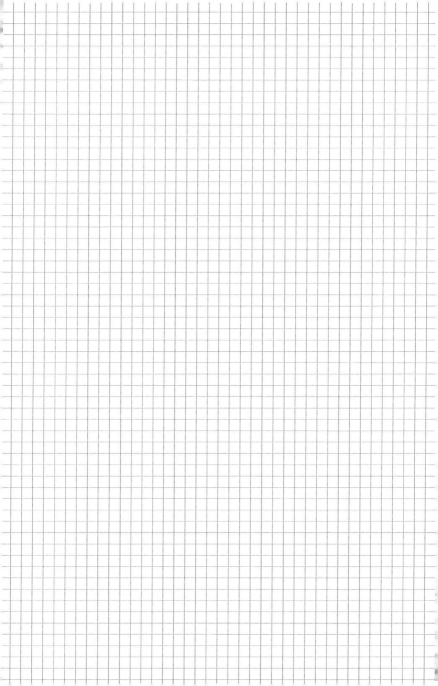

天津新市街

0km   2km

N

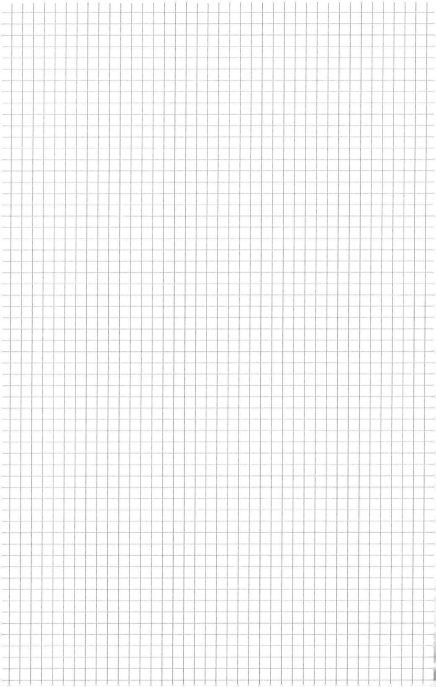

天津文化中心

N

0km   1km

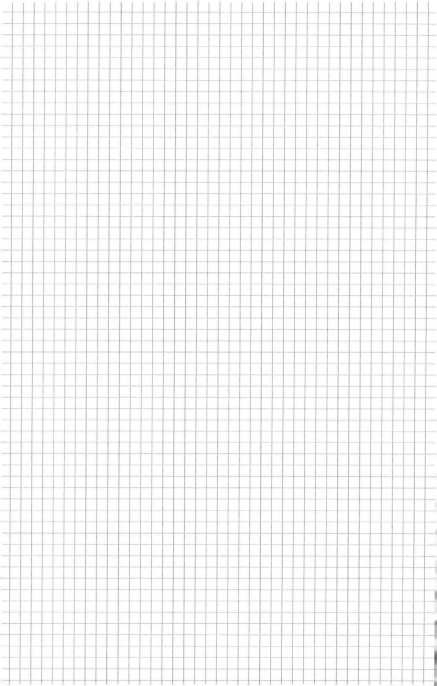

浜海新区

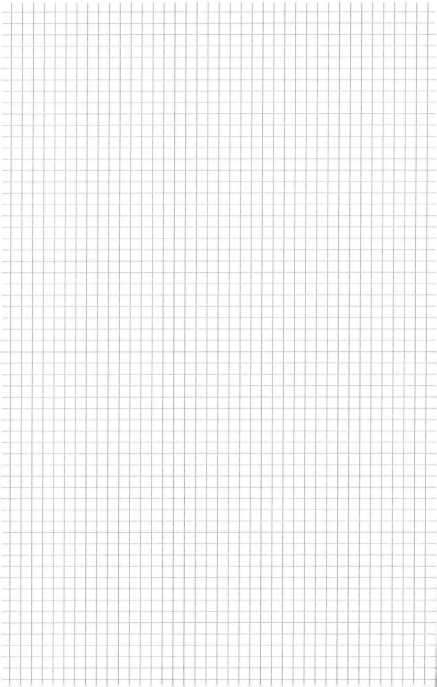

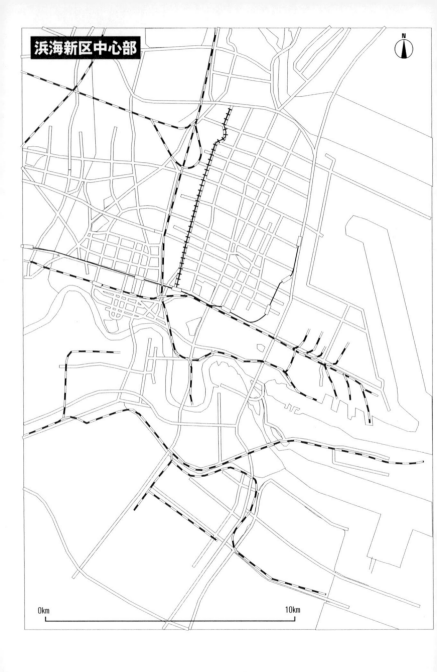

浜海新区中心部

N

0km 10km

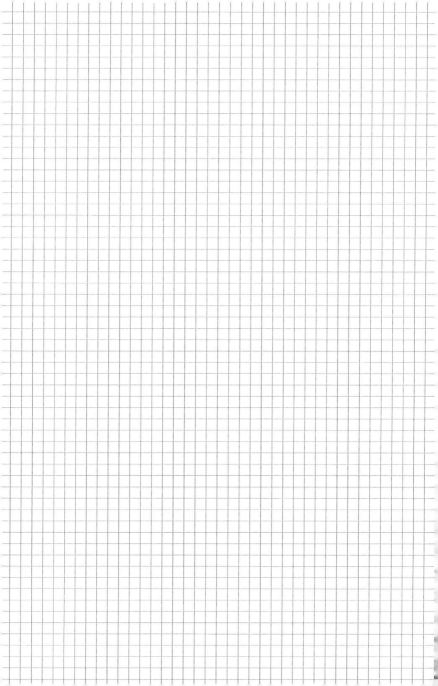

【車輪はつばさ】
南インドのアイラヴァテシュワラ寺院には
建築本体に車輪がついていて
寺院に乗った神さまが
人びとの想いを運ぶと言います

An amazing stone wheel of the Airavatesvara Temple
in the town of Darasuram, near Kumbakonam in the South India

まちごとチャイナ
天津 001

はじめての天津
渤海湾に続く「港町」
［モノクロノートブック版］

「アジア城市（まち）案内」制作委員会
まちごとパブリッシング
http://machigotopub.com

・本書はオンデマンド印刷で作成されています。
・本書の内容に関するご意見、お問い合わせは、発行元の
　まちごとパブリッシング info@machigotopub.com までお願いします。

まちごとチャイナ
新版 天津001はじめての天津
　〜渤海湾に続く「港町」

2020年 8月15日　発行

著　者	「アジア城市（まち）案内」制作委員会
発行者	赤松　耕次
発行所	まちごとパブリッシング株式会社
	〒181-0013　東京都三鷹市下連雀4-4-36
	URL http://www.machigotopub.com/
発売元	株式会社デジタルパブリッシングサービス
	〒162-0812　東京都新宿区西五軒町11-13
	清水ビル3F
印刷・製本	株式会社デジタルパブリッシングサービス
	URL http://www.d-pub.co.jp/

MP297

ISBN978-4-86143-448-8 C0326　　　Printed in Japan